DATE DUE

Este libro pertenece a:

_____

_____

_____

(La criatura más GRANDE del planeta)

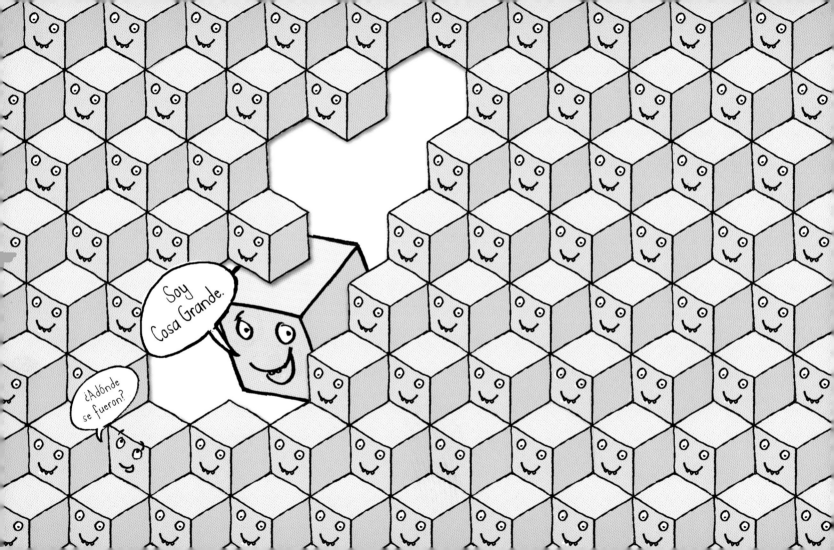

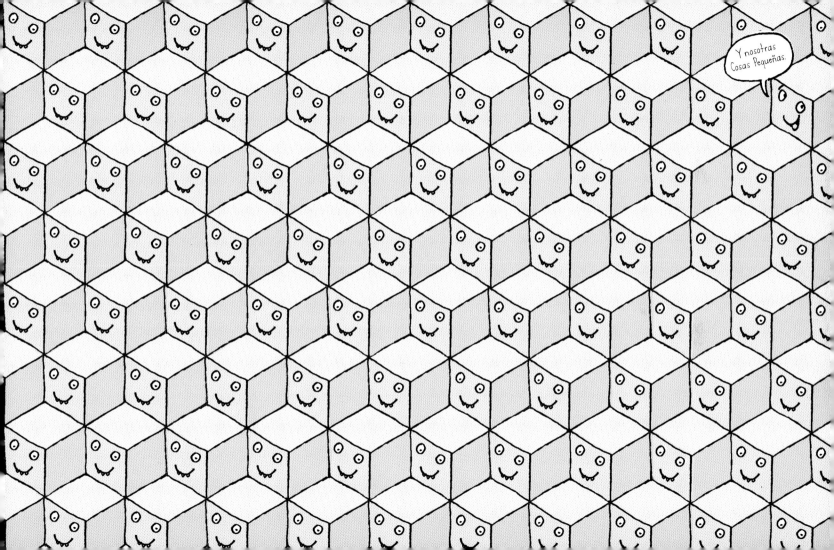

Dirección editorial: Cristina Arasa
Coordinación de la colección: Mariana Mendía
Edición: Laura Lecuona y Ariadne Ortega
Diseño de forros: Javier Morales Soto
Formación: Sofía Escamilla Sevilla
Traducción: Eliana Pasarán

El tamaño ideal. Por qué hay animales grandes y animales pequeños

Título original en inglés: *Just the Right Size. Why Big Animals are Big and Little are Little*

Publicado por acuerdo con Walker Books Ltd., 87 Vauxhall Walk, Londres, SE115HJ
Todos los derechos reservados.

Texto D. R. © 2009, Nicola Davies
Ilustraciones D. R. © 2009, Neal Layton

Primera edición: diciembre de 2014
D. R. © 2014, Ediciones Castillo, S. A. de C. V.
Castillo © es una marca registrada.
Mundo Mosaico ® es una marca registrada.
Insurgentes Sur 1886, Col. Florida.
Del. Álvaro Obregón.
C. P. 01030, México, D. F.

Ediciones Castillo forma parte del Grupo Macmillan

www.grupomacmillan.com
www.edicionescastillo.com
infocastillo@grupomacmillan.com
Lada sin costo: 01 800 536 1777

Miembro de la Cámara Nacional de la Industria Editorial Mexicana.
Registro núm. 3304

ISBN: 978-607-621-132-8

Impreso en China / Printed in China

La hormiga de la página siguiente piensa que los humanos son unos **DEBILUCHOS**. Descubre por qué en la página 22.

Para Martin J. y los teleósteos tamaño ballena N. D.

Para la pequeña y diminuta Erica Lavender N. L.

EL TAMAÑO IDEAL

Por qué hay animales grandes y animales pequeños

Nicola Davies

Ilustraciones de **Neal Layton**

Traducción de **Eliana Pasarán**

En películas y cómics, los superhéroes cruzan el cielo

como bólidos, caminan por las paredes, cargan cosas

tan grandes como camiones y tienen superpoderes

para combatir a monstruos enormes...

¡Patrañas!

CÓMIC

7

Es muy emocionante, pero no tiene nada de cierto.
En la vida real, los humanos no vuelan, ni se cuelgan
del techo ni cargan cosas mucho más grandes que ellos...
Los animales gigantes tampoco pueden existir porque
no podrían caminar ni respirar.

Hay reglas muy estrictas que determinan lo que los cuerpos pueden o no hacer: impiden que los seres vivos
crezcan demasiado, y hacen que los superhéroes reales sean pequeños, mucho más que los humanos.

ALGUNOS PEQUEÑOS SUPERHÉROES Y GIGANTES DE VERDAD

Los guecos, más pequeños que tu mano, pueden caminar en paredes y techos.

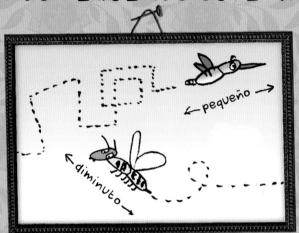

← pequeño →

diminuto

Los pequeños colibríes y las diminutas avispas son los voladores más ágiles de la Tierra.

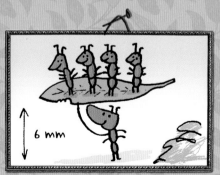

6 mm

Las hormigas cortadoras de hojas miden 6 mm y pesan menos de 1 gramo, pero pueden cargar muchas veces su peso.

El escarabajo rinoceronte puede cargar 850 veces su propio peso.

19 cm

Una de las arañas más grandes de la Tierra, la araña *Lasiodora parahybana*, mide 19 cm, más o menos como un plato.

El simio más grande del mundo, el gorila macho, es pequeñito comparado con King Kong. Mide 1.68 m, ¡quizá lo mismo que tu papá!

Tu papá

Gorila macho

Pie de King Kong

REGLAS CONTRA LOS SUPERPODERES

¿Y cuáles son esas reglas que nos impiden tener superpoderes?

No son reglas hechas por humanos. Las reglas de los humanos, como "Prohibido el helado antes de comer" o "No estacionarse", pueden desobedecerse. En cambio, hay leyes que forman parte del funcionamiento del universo. No es posible evitar que la luz viaje en línea recta o que las cosas se caigan al suelo cuando las sueltas, por ejemplo. El tipo de reglas que hacen que las arañas gigantes sólo existan en las caricaturas o que Superman no sea real (¡qué triste!) son leyes geométricas, es decir, de la rama de las matemáticas que se ocupa de las formas y los tamaños.

Para entender mejor estas leyes, veamos las diferencias entre las cosas pequeñas y las grandes.

Te presento a Cosa Pequeña. Puede tratarse de lo que sea: un carro, un tronco, un jabón, pero da la casualidad de que es un ser vivo (aunque parezca un cubo).

Tomemos algunas medidas de Cosa Pequeña.

¡Guau!

Cosa Pequeña

Ahora conozcamos a Cosa Grande.

Cosa Grande es del DOBLE de tamaño que Cosa Pequeña; es decir, Cosa Grande tiene el doble de largo, el doble de ancho y el doble de alto.

Veamos cuántas Cosas Pequeñas necesitamos para hacer una Cosa Grande. Recuerda que Cosa Grande tiene el doble de largo que Cosa Pequeña.

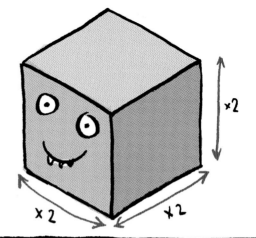

Dos Cosas Pequeñas juntas se ven así:

Tampoco basta con cuatro Cosas Pequeñas:

Hacen falta OCHO Cosas Pequeñas para hacer una Cosa Grande.

Como verás, el área superficial de Cosa Grande y su sección transversal son CUATRO veces más grandes, pero su volumen y su peso son OCHO veces más grandes.

Esta regla, a la que llamaremos la Regla Cosa Pequeña-Cosa Grande, o CPCG para abreviar, funciona para plantas, animales, personas y todo lo demás.

LA REGLA CPCG EN VIVO

La regla CPCG no sólo está relacionada con números. De hecho, tiene importantes efectos en el funcionamiento de los cuerpos vivos. Algunas características de los cuerpos (como cuánta comida y aire necesitan) dependen de su peso y su volumen, y otras (como la fuerza de los músculos) dependen de su sección transversal o de su área superficial.

Queda claro que Cosa Grande necesita tanta comida para alimentarse y aire para respirar como OCHO Cosas Pequeñas, pero si tomamos una rebanada de Cosa Grande veremos que sus músculos son cuatro veces más gruesos que los músculos de Cosa Pequeña, por lo que sólo es cuatro veces más fuerte.

Debido a la regla CPCG, para los cuerpos resulta imposible hacer o ser ciertas cosas. Esta regla evita que monstruos como arañas del tamaño de un coche puedan existir en el mundo real, y también impide que los humanos carguen autobuses o vuelen agitando los brazos.

4 veces más grueso que esto

Con ustedes,
¡¡El increíble
HOMBRE PÁJARO!!
OH-OH...
¡Acuérdate
de la regla
CPCG!

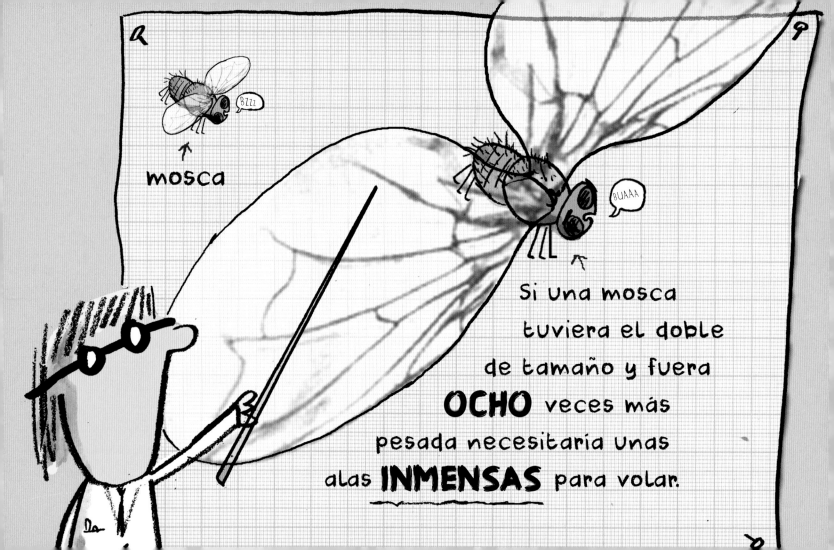

POR QUÉ LOS HUMANOS NO PUEDEN VOLAR

Para los voladores más chiquitos, como los insectos del tamaño de estas letras, tomar vuelo es fácil: basta un soplo de viento en sus alas para que despeguen. Sin embargo, debido a la regla CPCG, mientras más grande seas, más difícil será que vueles.

Si un insecto creciera al doble de su tamaño, su parte externa (o área superficial) sería cuatro veces más grande, o sea que sus alas también aumentarían cuatro veces. También sus músculos serían cuatro veces más gruesos y cuatro veces más fuertes (recuerda: la fuerza muscular depende de la sección transversal), lo que estaría bien si el insecto pesara sólo cuatro veces más, pero debido a la regla CPCG, pesa ocho veces más. No podrá despegar a menos que sus alas y sus músculos sean muchísimo más grandes.

17

Por eso, los insectos pesados, como las libélulas, necesitan alas tan grandes para levantar el vuelo, y los pájaros requieren fuertes músculos pectorales y grandes alas cubiertas de plumas.

Sin embargo, las alas y los músculos no pueden seguirle el ritmo a cuerpos cada vez más pesados. Por esta razón, los pájaros enormes, como las avestruces y los emúes, no vuelan. También por eso los humanos solamente son capaces de volar con ayuda de motores.

PFUT
PFUT

BAILANDO EN EL AGUA

Si una tarde de verano observas la superficie de un lago verás que unos insectos, llamados patinadores, realizan la asombrosa hazaña de caminar sobre el agua. ¿Por qué ellos sí pueden y nosotros no?

El agua tiene una especie de película delgada donde todas sus partículas se juntan unas con otras; se llama tensión superficial, y ahí es donde los insectos patinadores caminan. Distribuyen su peso con sus patas largas y delgadas como si fueran patines, así que se abren paso sobre la tensión superficial sin ejercer demasiada presión sobre el agua.

18

Si los insectos patinadores midieran el doble de longitud, el peso que sus patas tendrían que soportar sería ocho veces mayor (recuerda la regla CPCG), y las patas deberían ser ocho veces más largas. Resultaría casi imposible moverlas.

Por eso no vemos animales más grandes que los insectos patinadores (como las personas) bailando en el agua: necesitarían unos pies absurdamente largos.

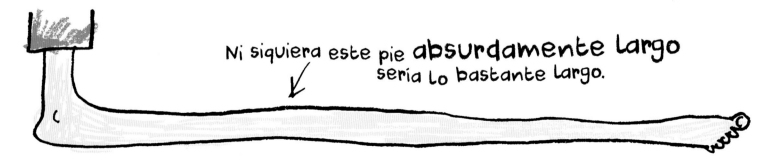

Ni siquiera este pie **absurdamente largo**
sería lo bastante largo.

Acercamiento al pie de un **insecto patinador** que no rompe la tensión superficial del agua

CAMINAR EN EL TECHO

Caminar en el techo es algo parecido. El Hombre Araña puede hacerlo, pero en la vida real, los caminadores de techos son unos pequeños lagartos llamados guecos. Incluso pueden subir corriendo por los vidrios y cazar insectos en el techo.

El secreto está en sus dedos, que tienen forma como de cuchara aplanada. Bajo el microscopio se ve que están cubiertos por miles de pelitos finos. Éstos se pueden ceñir a la pared más lisa o al vidrio más terso tanto que las fuerzas microscópicas que unen a las diminutas partículas de la pared o de la ventana se aferran a los pelitos y hacen que se peguen. La pegajosidad conjunta de tantos pelitos permite que los guecos se queden en el techo.

21

¿Y por qué los humanos no podemos tener "dedos peludos" en forma de cuchara como los guecos? La respuesta, por supuesto, está relacionada con la regla CPCG. Nosotros pesamos miles de veces más que un pequeño gueco, así que para caminar por el techo necesitaríamos dedos que también fueran miles de veces más grandes, demasiado para poder ir de un lado a otro sin caernos.

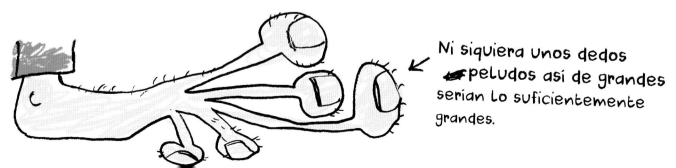

Ni siquiera unos dedos peludos asi de grandes serian lo suficientemente grandes.

POR QUÉ NO PODEMOS CARGAR AUTOBUSES

Una hormiga común carga entre 10 y 50 veces su propio peso, mientras que un escarabajo rinoceronte carga en la espalda hasta 850 veces su propio peso. Sin embargo, ni siquiera los mejores levantadores de pesas pueden cargar más de cuatro o cinco veces el peso de su cuerpo. ¿Cómo es posible que unos pequeños insectos sean mucho más fuertes que unos humanos tan musculosos?

En la página opuesta está Cosa Pequeña. Digamos que puede cargar algo tan pesado como ella misma.

También allí está Cosa Grande. Ya que la fuerza muscular depende de la sección transversal, Cosa Grande es cuatro veces más fuerte que Cosa Pequeña, así que Cosa Grande puede cargar cuatro veces más que Cosa Pequeña.

Sin embargo, como Cosa Grande pesa lo mismo que ocho Cosas Pequeñas, no puede cargar algo tan pesado como ella misma, sino sólo algo que pese la mitad que ella.

¡Por eso las hormigas son más fuertes que los humanos!

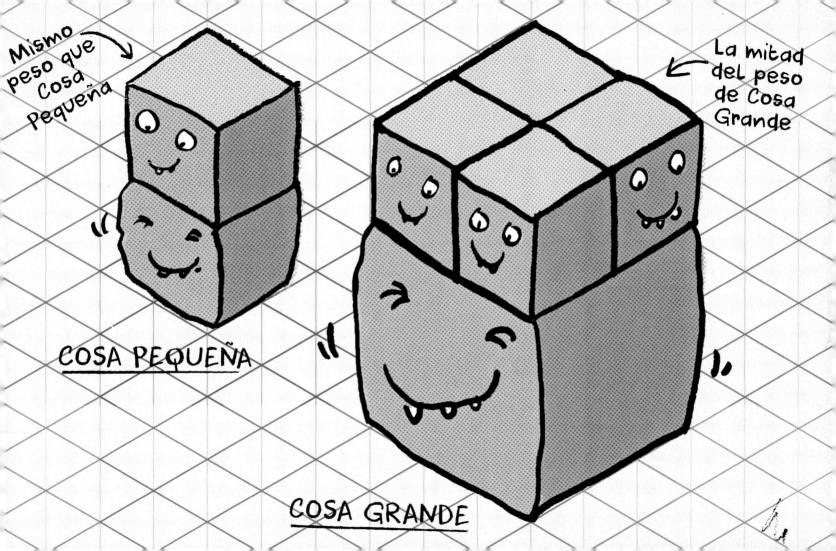

DERROTAR A LOS MONSTRUOS

Ahora ya sabes por qué nunca podrás volar, trepar por las ventanas, bailar en la superficie del lago ni ser más fuerte que una hormiga, ¡qué decepción! La buena noticia es que, como no puedes ser un superhéroe, la regla CPCG se encargará de que no haya monstruos. Antes de explicarte, te contaré un espantoso relato de gigantes....

Había una vez un gigante. Era como un humano normal, sólo que diez veces más grande. Diez veces más alto, ancho y largo, así que era mil veces más pesado. Un buen día quiso dar su primer paso gigante y, con un chasquido gigantesco, las dos piernas se le quebraron. Fin. (Lo mismo le pasó a la mejor amiga del gigante: la araña monstruosa).

Recuerda: la fuerza no puede seguirle el ritmo al peso porque la fuerza depende de la sección transversal. Aquí, la sección transversal, de la pierna del gigante es cien veces más grande que la de un humano promedio y, por lo tanto, sólo cien veces más fuerte: insuficiente para soportar el enorme peso del gigante, que es mil veces más grande que el de una persona promedio.

En la vida real, un gigante de veinte metros de alto necesitaría piernas no sólo más grandes, sino tan gruesas que quizá sería imposible levantarlas.

¿GRANDE, MÁS GRANDE, GRANDÍSIMO?

Soy más pesada de lo que tú eras.

Las patas no pueden hacerse más y más robustas para aguantar animales más y más grandes, pues las extremidades robustas son muy pesadas para moverse. Los científicos piensan que esto puso un límite al tamaño de los dinosaurios terrestres. El más grande que se ha encontrado tenía 40 m de largo y pesaba unas 70 toneladas. Si hubiera sido más pesado, habría necesitado piernas tan robustas que no se hubiera podido mover.

Así, no debería sorprendernos que el animal más pesado que haya existido no necesite piernas para nada. El rorcual azul (conocido como ballena azul) llega a medir hasta 30 m de largo y pesa entre 100 y 190 toneladas. Sin embargo, si el agua del mar sostiene su peso, ¿por qué no puede tener el doble de tamaño?

Un rorcual azul del doble de tamaño, es decir, de 60 m, tendría ocho veces el volumen corporal de una ballena de 30 m; su estómago necesitaría digerir ocho veces más comida, sus pulmones necesitarían ocho veces más aire para respirar y sus riñones tendrían que expulsar ocho veces más orina que una ballena de 30 m. Sin embargo, los órganos internos crecen según el área de la sección transversal, así que serían sólo cuatro veces más grandes que los de una ballena de 30 m. Una ballena azul de 60 m necesitaría intestinos, pulmones y riñones tan grandes que no cabrían en su cuerpo. Esto probablemente explica por qué la ballena azul más grande de la que tenemos noticia sólo mide 33.5 m de largo.

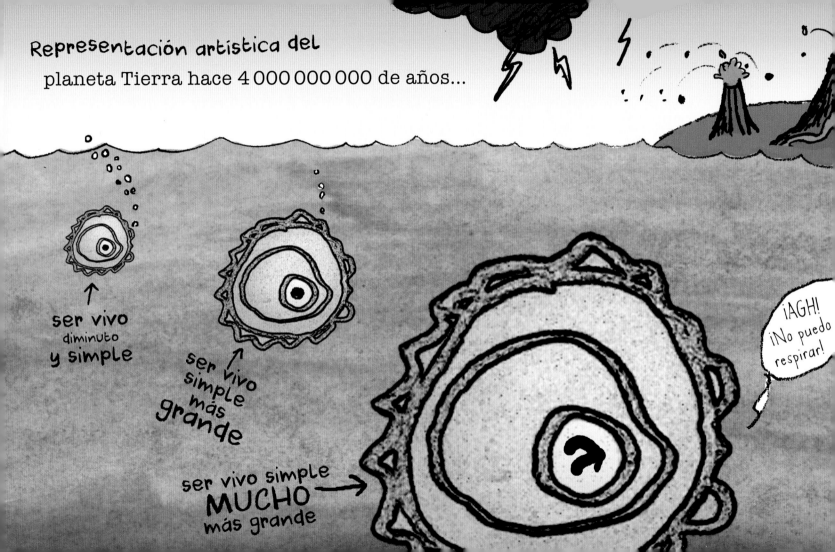

REGLAS EN EL INTERIOR

Como la ballena ejemplifica, la regla CPCG afecta tanto el interior como el exterior de los cuerpos. Ha sido así desde el inicio de la vida en la Tierra y ha tenido una gran influencia en la evolución de los seres vivos, que pasaron de simples a complejos.

Hace más de 4 000 millones de años, la vida en la Tierra comenzó con unos seres tan pequeños que harían falta más de cincuenta, formados en fila, para atravesar un punto. Eran muy, pero muy simples: sólo una gran célula sin boca ni intestinos ni pulmones. No necesitaban respirar: sólo flotaban en el agua, y por la piel absorbían el oxígeno necesario. Era así porque tenían una gran área superficial y un volumen pequeño: mucha piel para tan poco cuerpo.

Si un organismo así fuera el doble de grande, tendría cuatro veces más área superficial, pero ocho veces más volumen. En consecuencia, necesitaría ocho veces más oxígeno, pero sólo contaría con cuatro veces más piel para absorberlo. Si se volviera más grande, muy pronto tendría demasiado cuerpo e insuficiente piel para recibir el oxígeno.

Esto explica por qué los seres unicelulares simples no podían ser muy grandes. Para crecer, los seres vivos debieron volverse más complejos.

PLIEGUES Y ARRUGAS

¡Qué tal!

¡Hola!

Acercamiento a algunos **epulos**

Para tener más piel que absorba más oxígeno, algo que pueden hacer los seres vivos simples es volver plegable su piel exterior para incrementar el área superficial. Eso es lo que hace el organismo unicelular llamado epulos, que vive en el intestino de los peces y tiene una piel arrugada que se dobla y se pliega. Esto le permite ser 50 veces más grande que la mayoría de los organismos unicelulares. ← Más o menos el tamaño de un epulos

Sin embargo, aunque sea 50 veces más grande, sigue siendo apenas del tamaño de un punto; además, el hecho de que todo su exterior esté cubierto por una piel rugosa le impide tener piernas y cabeza. Entonces los animales más grandes, que tienen muchísimos millones de células (cada humano tiene aproximadamente 100 billones de células), han visto que es mejor tener toda la piel plegada en un solo lugar.

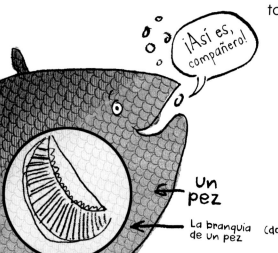

¡Así es, compañero!

Un pez

La branquia de un pez (donde se ve toda el área superficial plegable)

Las branquias son eso: muchos dobleces de piel delgada, recogida en un pequeño espacio, por la que el oxígeno puede pasar al cuerpo. La mayoría de los animales acuáticos tienen branquias, pero las mejores son las de los peces. Tienen una gran área superficial, además de sangre, vasos sanguíneos y un corazón que bombea por todo el cuerpo. Así, los peces pueden ser grandes y rápidos; los tiburones ballena, por ejemplo, pueden medir más de 12 m de largo, y hay atunes y peces espada que nadan a 80 km por hora.

DIAGRAMA DE LOS APARATOS
RESPIRATORIO Y CIRCULATORIO DE UN ATÚN

LIBROS Y TUBOS

Las branquias funcionan muy bien en el agua, pero deben mantenerse húmedas. En la tierra se secan con el aire, así que cuando los animales comenzaron a vivir fuera del agua tuvieron que evolucionar para mantener su piel húmeda y permitir el paso del oxígeno. Las arañas tienen "pulmones en libro" o pulmones laminares, es decir, piel doblada como las páginas de un libro. Estos órganos se encuentran dentro de una cavidad abdominal y conectan con el exterior a través de una ranura. Una araña no puede correr más de 20 o 30 metros, debido a que ante este esfuerzo no recibe suficiente oxigenación y se desmaya. Así que dos cosas impiden que existan arañas gigantes: las piernas que se quiebran y los desmayos.

Los insectos tienen un laberinto de pequeños tubos, llamados tráqueas, que van desde unos orificios en el exterior de su cuerpo, llamados espiráculos, hasta muy adentro. Los tubos más profundos son diminutos y están forrados con una delgada piel que permite que el oxígeno pase a la sangre. Las tráqueas no pueden medir más de un centímetro aproximadamente, pues de lo contrario no llegaría suficiente aire hasta el fondo de los tubos. Como el aire entra por espiráculos en ambos lados de su cuerpo, los insectos pueden tener el doble de grosor que la tráquea más larga, pero no más. Ni siquiera los insectos más grandes del mundo, los escarabajos Goliat africanos, que miden 13 cm de largo, tienen tráqueas mayores a dos centímetros de grosor.

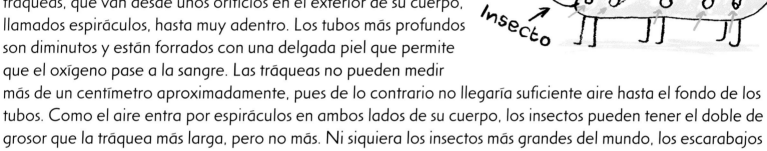

Espiráculos que dejan entrar el aire

Insecto

33

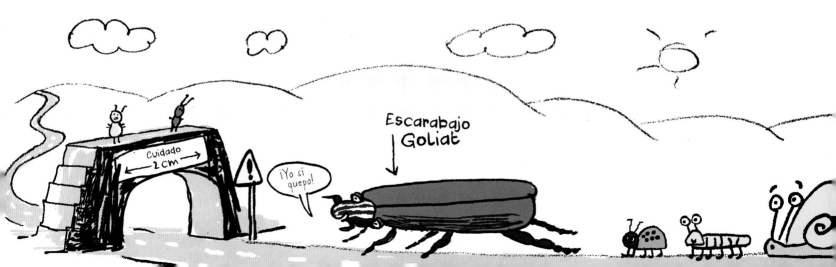

Cuidado 2 cm

¡Yo sí quepo!

Escarabajo Goliat

PULMONES PARA CRECER

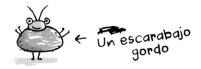

← Un escarabajo gordo

Si las arañas y los insectos hubieran sido los únicos animales, jamás hubiera existido sobre la tierra nada más grande que un escarabajo gordo. Sin embargo, hace aproximadamente 400 millones de años, ciertos peces desarrollaron unos pulmones sencillos que les permitieron nadar hasta la superficie y respirar aire. Esto provocó que los primeros anfibios evolucionaran y se arrastraran hasta tierra firme.

Al principio, los pulmones eran unas bolsas muy sencillas, pero a lo largo de millones de años se hicieron más complejos hasta tener un área superficial cada vez más grande para recibir oxígeno. También los corazones y los vasos sanguíneos mejoraron. Los pulmones de los mamíferos son los más complicados: son bolsas esponjosas compuestas de millones de minúsculos sacos que forman una inmensa superficie de piel delgada para respirar (si extendiéramos todos los saquitos que conforman tus pulmones, podrías llenar una cancha de tenis). Los corazones de los mamíferos son muy eficientes: bombean rápido la sangre llevando oxígeno a cada célula a través de una red de minúsculos vasos sanguíneos (si formáramos en fila todos los vasos sanguíneos de tu cuerpo, llegarían a la mitad del camino de aquí a la Luna).

Los pulmones y los corazones mejorados permitieron que los animales terrestres evolucionaran hacia muchas especies diferentes: reptiles, aves y mamíferos.

Luna

Mitad del camino

¡GASP!
¡La última novedad!
PULMONES de mamíferos mejorados
Señor, señora, señorita, ¿quiere ser usted más grande?
CORAZÓN de mamífero súper eficiente

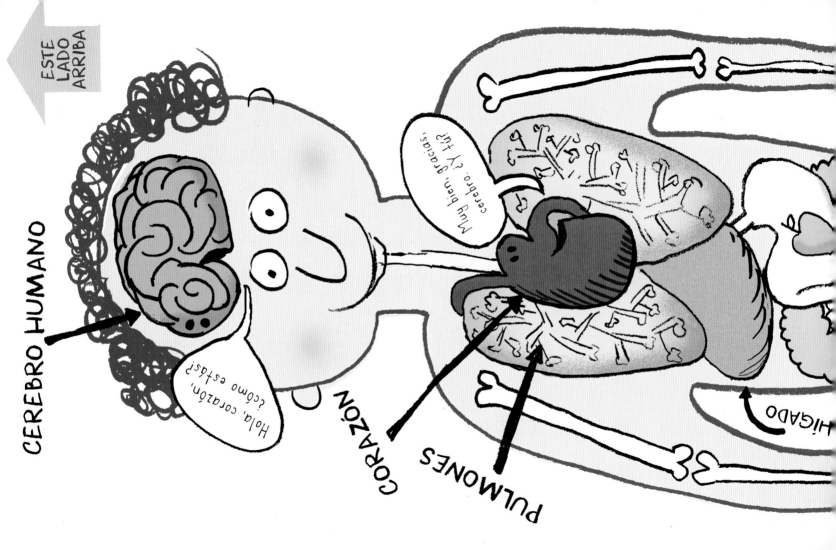

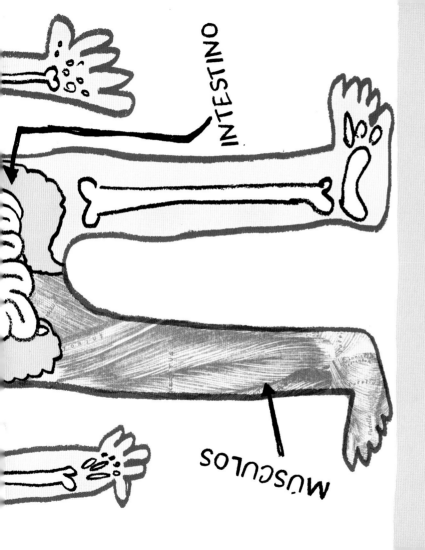

INTESTINO

MÚSCULOS

GRANDE Y COMPLICADO

Un sencillo animal unicelular absorbe su alimento y elimina lo que ya no le sirve de la misma manera que obtiene oxígeno: a través de la piel.

Sin embargo, como hemos visto, la regla CPCG hace que esto sea imposible para los animales grandes, los que, para realizar estas dos funciones, tienen órganos internos que contienen una inmensa área superficial en un pequeño espacio, como las branquias y los pulmones.

El revestimiento del intestino humano, por ejemplo, está doblado en millones de pliegues que abarcarían 300 metros cuadrados (más de una cancha y media de tenis si se extendieran). Además, estos ingeniosos órganos internos tienen que comunicarse y trabajar unidos para mantener sano al cuerpo.

ES DIFÍCIL SER PEQUEÑITO

Quiero crecer un poquito.

Si crecer parece tan difícil, ¿por qué no permanecimos diminutos y simples como los primeros animales? Hay muchos organismos que hacen justo eso, seguir pequeños, como las bacterias, que son muy parecidas a esas primeras minúsculas formas de vida y están por todas partes (hay diez veces más bacterias viviendo en tu cuerpo que células).

El gran problema con ser diminuto y simple es que resulta muy peligroso. Toda clase de accidentes, como un soplo de viento, un chorro de lluvia o una tarde calurosa, pueden eliminar a miles de millones de minúsculas bacterias. Son demasiado pequeñas para viajar o para alejarse rápido de los peligros, y para ellas el aire es denso como una sopa y el agua pegajosa como la miel.

También hay montones de bocas suficientemente grandes para comérselas y, como las bacterias no tienen ojos ni cerebros, pues para esto se necesitan millones de células, no son capaces de saber si se acerca un depredador o de pensar cómo escapar. ¡Es difícil ser pequeño!

Chiquitos pero resistentes.

LOS SUPERHÉROES NO TAN SÚPER

Algunos animales más grandes y complejos, como los insectos, pueden librarse de ciertos problemas que enfrentan los organismos que son más diminutos y simples.

Pueden moverse para escapar del peligro y buscar comida; tienen sentidos que les advierten de la amenaza; sus cerebros, aunque muy pequeños, los ayudan a solucionar problemas básicos y, como hemos visto, tienen poderes de superhéroes. Sin embargo, aún así deben enfrentar innumerables riesgos debido a su tamaño.

La regla CPCG, que les permite cargar enormes pesos y caminar sobre el agua de un estanque, también implica que tengan una superficie muy grande para su volumen minúsculo, por lo que mojarse puede ser fatídico. A los insectos les cuesta trabajo moverse si están mojados, pues la película de agua alrededor de un cuerpo tamaño hormiga pesa mucho más que la hormiga. La tensión superficial actúa como una envoltura elástica de celofán que atrapa al animal y lo ahoga.

Por eso los insectos son muy cautelosos cuando beben agua. Generalmente lo hacen mediante largas bocas que parecen popotes, para no correr el riesgo de mojar alguna parte de su cuerpo y evitar ahogarse en una gota de agua.

¡Puf! Otro día de mucho trabajo.

¡Ñam!

AGENDA DEL DELFÍN DE COMMERSON

Desayuno de pescado

Aperitivo matutino de pescado

Tentempié (pescado)

Almuerzo de pescado
seguido de pausa para el té

Hora del té (con pescado)

Refrigerios

Cena

Bocadillo de medianoche
(pescado)

RESISTIR EL FRÍO

Perro Labrador

Delfín de Commerson

Los animales pequeños tienen un área superficial externa por volumen mayor que la de los animales grandes, así que les cuesta trabajo mantenerse calientes cuando hace frío: su calor corporal se escapa a través de la piel. Esto es un verdadero peligro para los mamíferos, que pueden morir de frío.

En el agua ser pequeño es aún más problemático, porque el agua quita más calor corporal que el aire (recuerda cómo te enfrías en la alberca). Uno de los mamíferos más pequeños que vive en el mar es el delfín de Commerson, que es del tamaño de un perro labrador (un delfín del tamaño de un ratón o de un conejo podría enfriarse muy rápido). Los delfines de Commerson mantienen su temperatura gracias a que comen mucho (alrededor de 5 kilos de peces y calamares todos los días) y a que tienen un buen aislamiento térmico: una gruesa capa de grasa bajo la piel.

43

Muchos mamíferos y pájaros chicos van al agua en busca de comida (como las pequeñas musarañas de agua, del tamaño de tus dedos, o los pingüinos azules, no más grandes que un envase de leche), pero ninguno podría sobrevivir a una pérdida constante de calor corporal.

¡Sólo son de medio tiempo!

Pequeña musaraña de agua

Pingüino azul

DINOCÁLIDOS

Los mamíferos que viven de tiempo completo en el agua son por lo general más grandes que el delfín de Commerson porque los cuerpos voluminosos conservan mejor el calor. Ser grande y caliente tiene otras ventajas también para otros tipos de animales. Tal vez ese haya sido el secreto del éxito de los dinosaurios.

Los reptiles (como serpientes, lagartijas y cocodrilos) tienen la sangre fría. Por eso se tiran al sol para absorber calor a través de la piel, y así sus cuerpos se calientan para poder trabajar. Sin embargo, cuando el sol se pone y baja la temperatura, sus cuerpos se enfrían… y un reptil frío es un reptil lento e inactivo. Esto se agudiza en los reptiles más pequeños, porque tienen más piel (superficie) por volumen.

Los dinosaurios también eran reptiles, pero los más grandes tenían una superficie de piel por volumen menor que los reptiles pequeños modernos. Por eso eran capaces de conservar su calor. Muchos científicos creen que esto permitió que los dinosaurios más grandes se mantuvieran calientes casi todo el tiempo y permanecieran activos.

Entonces, tal vez fue la regla CPCG la que convirtió al *Tyrannosaurus rex* en el depredador más temible.

COMILONA

Los animales grandes como el elefante, pueden conservar el calor corporal durante más tiempo que los animales pequeños. Esto sucede debido a que queman más lentamente los alimentos, además de que por su tamaño y características pueden comer casi de todo: pasto seco, corteza, madera, etcétera. En cambio, otros animales más pequeños, como los ciervos ratón, sólo se alimentan de plantas frescas.

Otra razón por la que los animales grandes pueden comer casi cualquier cosa es porque tienen espacio para digerirla. Sin embargo, hay especies, como los monos, que no cuentan con intestinos capaces de digerir cortezas o alimentos duros.

Sólo los monos más grandes, con enormes barrigas redondas y mucho espacio para la digestión, pueden comer plantas. Los pequeños no tienen suficiente espacio, así que sólo comen los bocados más jugosos, como frutas.

Mono grande con mucho espacio para el equipo de digestión

Mono pequeño con menos espacio para el equipo de digestión

GRANDES VIAJES

Quemar el alimento lentamente y tener cuerpos espaciosos prepara a los animales grandes para recorrer largas distancias. Pueden aguantar sin comer más tiempo que los animales pequeños, y en sus grandes cuerpos hay más espacio para almacenar alimento en forma de grasa para los días de escasez.

Las ballenas, por ejemplo, pueden surcar miles de kilómetros en el océano y pasar meses sin comer, mientras que la mayoría de los delfines son más hogareños y se quedan en una misma zona.

Los ñúes recorren casi 3 000 kilómetros al año en busca de lluvia y de frescas praderas en el este de África, mientras que los herbívoros más pequeños tienen que esperar a que las lluvias vayan a ellos.

Los animales grandes son como autos familiares: usan poca gasolina, avanzan muchos kilómetros y tienen mucho espacio para equipaje. Mientras que los animales chicos son como autos deportivos: veloces, consumen mucha gasolina y tienen espacio para poco más que una canasta de picnic.

Pequeños **delfines** hogareños

Hogar dulce hogar

GRAN ballena migratoria

¿Ya casi llegamos?
Últimas praderas frescas en 3000 kilómetros

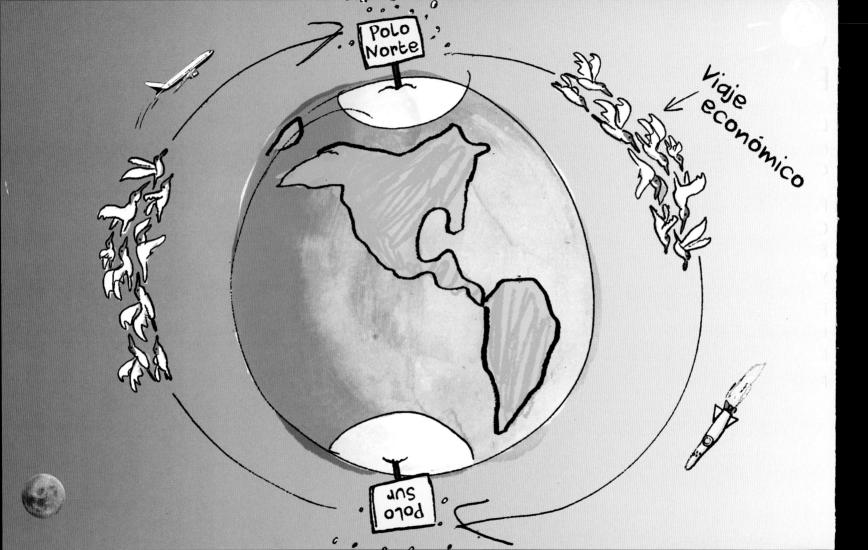

VUELOS ECONÓMICOS PARA PEQUEÑOS VIAJEROS

Los mejores viajeros del mundo, los gaviotines árticos, no son grandes. Estas pequeñas aves, no mucho más grandes que un gorrión, viajan cada año 32 000 kilómetros del Ártico a la Antártida y de regreso. Con eso le ganan a cualquier otro ser sobre el planeta.

Pueden hacerlo porque volar, en especial para algo tan ligero como un gaviotín ártico, es "económico". Consume muy poca comida por cada kilómetro recorrido (como si fuera un carro que avanzara 8 000 kilómetros con un litro de gasolina), y antes de emprender su viaje come muchísimo y obtiene la energía suficiente para volar miles de kilómetros.

Para nadar, caminar o correr se necesita más comida por kilómetro, así que tanto en la tierra como en el agua, los largos viajes sólo son posibles para los mayores caminantes y nadadores, que necesitan menos comida para su tamaño que los animales pequeños.

51

LOS MAYORES GANADORES

Ser grande tiene ventajas que no se relacionan con el área superficial o con el tipo de alimentos que un animal pueda comer. Mientras más grande eres, menos depredadores pueden merendarte, y mientras más grande eres, más peleas puedes ganar.

Los elefantes o los toros macho pelean para aparearse con las hembras. Los machos más grandes con los colmillos más grandes son los más exitosos; por eso los elefantes macho son mucho más grandes que las hembras.

Lo mismo pasa con los cachalotes. Los machos pueden tener casi hasta el doble de tamaño que las hembras. De hecho, en casi todas las especies donde hay peleas por las hembras, los machos son más grandes, aunque sólo sea por sus cuernos o sus colas.

Las diferencias de tamaño, que no son muy evidentes en los humanos, sí lo son para las hembras de animales y aves. Las golondrinas prefieren aparearse con los machos cuyas plumas de la cola son más largas, así sea por unos cuantos milímetros. Las ranas y sapos hembras pueden distinguir, incluso en la oscuridad, entre machos chicos y grandes gracias a que éstos croan con una voz más profunda.

VO██SOTA, VO██ITA

Ser grande no sólo sirve para pelear o presumir: también permite comunicarse. Las ballenas azules pueden mantenerse en contacto unas con otras, incluso a través de inmensas distancias, por medio de profundos cantos. Sólo los cantos más graves pueden viajar cientos de kilómetros hasta otra ballena, y solamente los animales muy, pero muy grandes pueden producir tonos tan bajos.

El inmenso tamaño de las ballenas las ayuda a mantenerse en contacto, mientras que el tamañito de los murciélagos les permite encontrar su camino en la oscuridad: chillan y esperan a que el eco de sus voces les proporcione una imagen acústica de lo que los rodea. Los chirridos graves les darían representaciones auditivas muy vagas, así que emiten chirridos agudísimos que les dan eco-representaciones detalladas. Sólo con cuerdas vocales diminutas se pueden emitir esos sonidos tan agudos.

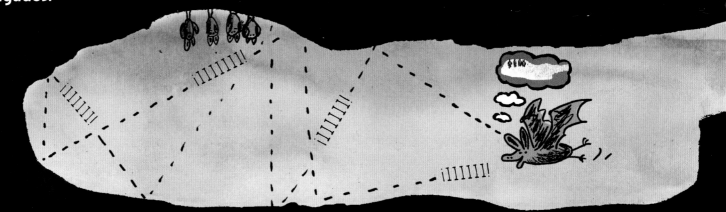

GRANDE Y PEQUEÑO

Ser pequeño no siempre es malo (recuerda a los más pequeños superhéroes del principio de este libro). Los animales chicos, como los murciélagos o los ratones, pueden ser del tamaño de un bocado pero, por ser pequeñitos, pueden esconderse en muchos lugares. No necesitan un gran espacio ni mucha comida, así que tampoco les hace falta gran cosa para tener un hogar. Quizá un tigre necesite toda la selva como hábitat, pero un escarabajo sería feliz dentro del hueco en un tronco.

Ser pequeñito tiene tantas ventajas que incluso algunas especies que habían evolucionado y crecido, prefirieron su tamaño anterior y volvieron a disminuir sus dimensiones, como por ejemplo, los gibones, que alguna vez fueron grandes simios trepadores de árboles, como los chimpancés. Sin embargo, cuando comenzaron a pasear por el bosque columpiándose con los brazos de rama en rama, un cuerpo chiquito y ligero resultó más útil, así que con el paso del tiempo fueron empequeñeciendo. Ahora los gibones son los simios más chicos y pueden pesar tanto como un gato doméstico.

EL TAMAÑO IDEAL

Tener el tamaño justo es una de las maneras en que los seres vivos se adaptan al lugar en el que viven. Ser "diminuto" es la mejor opción si vives entre dos granos de arena, pero es mejor ser "enorme" si tu hábitat es todo el océano. Así, las plantas y los animales tienen una alucinante variedad de tamaños. La ballena azul, el animal más gigante es 1 000 000 000 000 000 000 000 (mil trillones) de veces más grande que un diminuto microbio.

No obstante, si no fuera por la regla CPCG, el tamaño sería prácticamente la única diferencia entre todos los seres vivos y la Tierra estaría poblada de organismos parecidos a manchas de distintos tamaños: manchitas bajo las piedras y entre granos de arena, manchas desplazándose por la tierra y manchotas nadando en el océano. Sin la regla CPCG no habría necesidad de cuerpos complejos: sencillas manchas unicelulares de distintos tamaños serían suficientes.

La evolución de los seres vivos ha provocado que existan animales de diferentes formas y tamaños. Esto ha dado como resultado todo tipo de cuerpos: con una sola célula o con millones, con huesos o caparazones, con branquias o pulmones, con o sin patas. Cuerpos que pueden ser superhéroes y cuerpos que ni siquiera pueden preguntarse por qué no lo son. La maravillosa diversidad de las especies es un cambiante caleidoscopio de vida, desde la forma más diminuta hasta la más colosal, pero todas ellas...

Índice temático

60

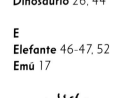

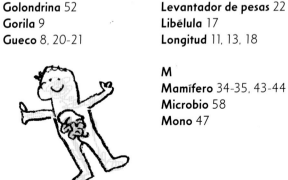

Glosario

Área superficial: Qué tan grande es el exterior de algo.

Branquias: Pliegues de piel delgada que se encuentran a ambos lados de la cabeza de un pez. Absorben el oxígeno del agua y lo conducen al torrente sanguíneo.

Células: Unidades diminutas, demasiado pequeñas para verse a simple vista, de las cuales están hechos todos los seres vivos.

Geometría: Conjunto de reglas que explican la forma y el tamaño de los objetos.

Intestino: Un tubo suave y largo donde se digiere la comida. Casi todos los animales tienen un intestino plegadizo en el abdomen.

Mamíferos: Animales de sangre caliente y cubiertos de pelo que alimentan a sus crías con su propia leche. Ratones, elefantes, canguros, murciélagos, humanos, etcétera.

Oxígeno: Un gas que todos los seres vivos necesitan en sus cuerpos para funcionar. Los animales y los insectos lo obtienen del aire; los peces, del agua.

Partículas: Piezas diminutas que juntas hacen algo más grande. Algunas cosas (como el agua) están compuestas de un solo tipo de partículas, pero la mayoría de las cosas (como los cuerpos) están hechas de diversos tipos de partículas.

Pulmones: Bolsas blandas con numerosas cavidades que se llenan de aire cuando un animal respira, a fin de que el oxígeno pase a la sangre a través de la delgada piel de estas cavidades.

Sección transversal: El área que verías si cortaras un objeto por la mitad.

Tensión superficial: Especie de película que se forma en la superficie del agua, donde las partículas están muy cerca unas de otras.

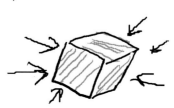

Este libro se terminó
de imprimir en China,
en diciembre de 2014.